CAFFARELLI

100 STUDI MELODICI

per il trasporto nella tromba e congeneri

CORSO COMPLETO

RICORDI

E.R. 2522

Il Trasporto nella Tromba

Chiunque abbia seguito un corso completo di Teoria e Solfeggio sa che per Trasporto intendesi, nel linguaggio musicale, la trasposizione di una composizione da una tonalità ad un'altra o, più precisamente, l'innalzare o l'abbassare di uno stesso intervallo tutte le note appartenenti alla composizione stessa.

Riteniamo perciò superfluo spiegare qui all'allievo la tecnica del Trasporto ch'egli avrà già certamente appresa con lo studio del Setticlavio, degli Intervalli, delle Tonalità, ecc. che tanta attinenza hanno con questa materia.

Volendo effettuare il Trasporto con la Tromba noi dobbiamo anzitutto tener presente la tonalità dello strumento col quale ci accingiamo a trasportare (1).

Questa tonalità dovrà essere il punto di orientamento verso tutte le altre che si determineranno allorchè innalzeremo o abbasseremo di vari gradi la stessa composizione.

Se, ad esempio, noi vogliamo eseguire con una Tromba in Si ♭ un brano scritto per una Tromba in Do, dovremo leggerlo, cioè trasportarlo, un tono sopra aggiungendovi mentalmente due diesis. Perchè? Perchè essendo la Tromba in Do accordata un tono sopra alla Tromba in Si ♭ noi dovremo innalzare di una seconda maggiore lo stesso brano e annullare con due diesis i due bemolli inclusi nella tonalità della Tromba in Si ♭.

Volendo invece leggere con la Tromba in Si ♭ un brano scritto per la Tromba in La ♭ noi dovremo abbassare, cioè trasportare il brano alla seconda inferiore, aggiungendovi mentalmente due bemolli per avere, con quelli contenuti nella tonalità di Si ♭, i quattro bemolli formanti la tonalità di La ♭.

Altro analogo esempio.

Se con una Tromba in Mi ♭ noi vogliamo trasportare un brano scritto per la Tromba in Fa dovremo leggerlo un tono sopra e annullare, con due diesis, due dei tre bemolli contenuti nella tonalità della Tromba in Mi ♭.

Volendo invece trasportare con la Tromba in Mi ♭ un brano per Tromba in Re ♭, cioè alla seconda maggiore inferiore, dovremo — come nel caso della Tromba in Si ♭ — aggiungere due bemolli ai tre contenuti nella tonalità della Tromba in Mi ♭ per formare con questi i cinque bemolli occorrenti alla tonalità di Re ♭.

Da quanto esposto è facile comprendere come dovendo, mediante il Trasporto, raggiungere qualsiasi altra tonalità noi dovremo aggiungere o diminuire, in proporzione alla tonalità del nostro strumento, il numero delle alterazioni affinchè il brano musicale conservi sempre gli stessi intervalli.

Dovendo, poi, trasportare brani aventi già alterazioni in chiave (alterazioni costanti), includeremo, alle tonalità con bemolli, le medesime alterazioni formanti la tonalità del nostro strumento; nelle tonalità con diesis aggiungeremo tanti di questi in più per quanti saranno i bemolli da annullare dello strumento stesso.

Oltre alle alterazioni costanti noi dovremo tener conto anche di quelle transitorie, ricordando che:

— per tutte quelle note già alterate dalle alterazioni costanti, nelle tonalità con diesis, i bemolli delle alterazioni transitorie varranno come bequadri e i diesis come doppi diesis;

— per tutte quelle note già alterate dalle alterazioni costanti, nelle tonalità con bemolli, i diesis delle alterazioni transitorie varranno come bequadri e i bemolli come doppi bemolli.

Le note che non subiscono l'effetto delle alterazioni costanti rimangono invariate.

* * *

A seconda della lunghezza e del diametro del canneggio, le Trombe vengono suddivise in quattro categorie, e cioè accordate nei toni gravi, medi, acuti e sopracuti. La notazione per ognuna di esse è scritta in chiave di Violino, ma per le Trombe acute e sopracute è scritta all'ottava superiore di quelle precedenti.

---

(1) *Le trombe più comunemente usate sono accordate in tonalità con bemolli: Tromba in Fa, Si ♭, Mi ♭.*

Prendendo come punto di riferimento la Tromba in Do acuto, cioè quella producente i suoni allo stesso diapson in cui sono scritti, noi avremo:

— **nei toni gravi:**

la Tromba	in	La ♭,	accordata	una	decima maggiore inferiore
»	»	» La ,	»	»	decima minore inferiore
»	»	» Si ♭,	»	»	nona maggiore inferiore
»	»	» Si ,	»	»	nona minore inferiore
»	»	» Do,	»	»	ottava giusta inferiore
»	»	» Re ♭,	»	»	settima maggiore inferiore
»	»	» Re ,	»	»	settima minore inferiore

— **nei toni medi:**

la Tromba	in	Mi ♭,	accordata	una	sesta maggiore inferiore
»	»	» Mi ,	»	»	sesta minore inferiore
»	»	» Fa,	»	»	quinta giusta inferiore
»	»	» Sol ♭,	»	»	quarta aumentata inferiore
»	»	» Sol ,	»	»	quarta giusta inferiore

— **nei toni acuti:**

la Tromba	in	La ♭,	accordata	una	terza maggiore inferiore
»	»	» La ,	»	»	terza minore inferiore
»	»	» Si ♭,	»	»	seconda maggiore inferiore
»	»	» Si ,	»	»	seconda minore inferiore

— **nei toni sopracuti:**

la Tromba	piccola	in	La ,	accordata	una	sesta maggiore superiore
»	»	»	» Si ♭,	»	»	settima minore superiore.

Queste ultime due furono eccezionalmente costruite dal Mahillon per eseguire alcune composizioni di Bach e Handel.

* * *

Trascriviamo qui le denominazioni antiche e moderne delle tonalità della Tromba in uso in Italia e all'estero.

TROMBA	in	C	equivale	alla	TROMBA	in	DO;	anticamente:	Cesolfaut
»	»	D	»	»	»	»	RE;	»	Delasolre
»	»	Es	»	»	»	»	MI ♭;	»	Elafa
»	»	E	»	»	»	»	MI;	»	Elami
»	»	F	»	»	»	»	FA;	»	Effaut
»	»	G	»	»	»	»	SOL;	»	Gesolreut
»	»	As	»	»	»	»	LA ♭;	»	Alafa
»	»	A	»	»	»	»	LA;	»	Alamire
»	»	B	»	»	»	»	SI ♭;	»	Befa
»	»	H	»	»	»	»	SI;	»	Bemi.

* * *

Le tavole che seguono trattano nella forma più concisa i Trasporti, siano essi effettuati con la Tromba in Si ♭, con la Tromba in Fa o in Mi ♭, e valgono tanto per quegli alunni che avranno iniziato lo studio del proprio strumento considerandone le note in effetto (1) quanto per quelli impiantati nella lettura della chiave di Violino.

---

(1) *Cioè con la lettura in chiave di Tenore per la Tromba in Si ♭, in chiave di Mezzo Soprano per la Tromba in Fa e in chiave di Basso per la Tromba in Mi ♭.*

Il Trasporto effettuato con la Tromba in *Si* bemolle

Coloro che avranno iniziato lo studio della Tromba in Si♭ nella lettura dei suoni reali, cioè in chiave di Tenore, effettueranno i trasporti nel modo seguente:

Coloro che avessero invece iniziato lo studio della Tromba in Si♭ nella lettura della chiave di Violino dovranno regolarsi come segue:

Trasporto nella TROMBA in:	*Lettura in chiave di:*	*Innalzamento o abbassamento degli intervalli:*	*Alterazioni da aggiungere per entrambi i casi:*	*Lettura in chiave di:*
La♭ e La	Soprano	Rispettivamente una seconda maggiore e una seconda minore discendenti.	Rispettivamente due bemolli e cinque diesis.	Tenore
Si	Tenore	Un semitono cromatico ascendente.	Sette diesis.	Violino
Do♭ e Do	Violino	Rispettivamente un semitono diatonico e una seconda maggiore ascendenti.	Rispettivamente cinque bemolli e due diesis.	Contralto
Re♭ e Re	Contralto	Rispettivamente una terza minore e una terza maggiore ascendenti.	Rispettivamente tre bemolli e quattro diesis.	Basso
Mi♭ e Mi	Basso	Rispettivamente una quarta giusta e una quarta aumentata ascendenti.	Rispettivamente un bemolle e sei diesis.	Mezzo Soprano
Fa	Mezzo Soprano	Una quinta giusta ascendente.	Un diesis.	Baritono
Sol♭ e Sol	Baritono	Rispettivamente una sesta minore e una sesta maggiore ascendenti.	Rispettivamente quattro bemolli e tre diesis.	Soprano

N.B. - *L'allievo dovrà sempre tener presente che i suoni reali della Tromba in Si*♭ *corrispondono una seconda maggiore inferiore a quelli ch'egli è abituato a leggere in chiave di Violino.*

Il Trasporto effettuato con la Tromba in *Fa*

Coloro che avranno iniziato lo studio della Tromba in Fa nella lettura dei suoni reali, cioè in chiave di Mezzo Soprano, effettueranno i trasporti nel modo seguente:

Coloro che avessero invece iniziato lo studio della Tromba in Fa con la lettura della chiave di Violino dovranno regolarsi come segue:

Trasporto nella TROMBA in:	*Lettura in chiave di:*	*Innalzamento o abbassamento degli intervalli:*	*Alterazioni da aggiungere per entrambi i casi:*	*Lettura in chiave di:*
La♭ e La	Soprano	Rispettivamente una sesta maggiore e una sesta minore discendenti.	Rispettivamente tre bemolli e quattro diesis.	Basso
Si♭ e Si	Tenore	Rispettivamente una quinta giusta e una quinta diminuita discendenti.	Rispettivamente un bemolle e sei diesis.	Mezzo Soprano
Do	Violino	Una quarta giusta discendente.	Un diesis.	Baritono
Re♭ e Re	Contralto	Rispettivamente una terza maggiore e una terza minore discendenti.	Rispettivamente quattro bemolli e tre diesis.	Soprano
Mi♭ e Mi	Basso	Rispettivamente una seconda maggiore e discendenti. una seconda minore	Rispettivamente due bemolli e cinque diesis.	Tenore
Sol♭ e Sol	Baritono	Rispettivamente una seconda minore e una seconda maggiore ascendenti.	Rispettivamente cinque bemolli e due diesis.	Contralto

N.B. - *L'allievo dovrà sempre tener presente che i suoni reali della Tromba in Fa corrispondono una quarta giusta superiore a quelli ch'egli è abituato a leggere in chiave di Violino.*

Il Trasporto effettuato con la Tromba in *Mi* bemolle

Coloro che avranno iniziato lo studio della Tromba in Mi♭ nella lettura dei suoni reali, cioè in chiave di Basso, dovranno effettuare i trasporti nel modo seguente:

Coloro che avessero invece iniziato lo studio della Tromba in Mi♭ con la lettura in chiave di Violino dovranno regolarsi come segue:

Trasporto nella TROMBA in:	*Lettura in chiave di:*	*Innalzamento o abbassamento degli intervalli:*	*Alterazioni da aggiungere per entrambi i casi:*	*Lettura in chiave di:*
La♭ e La	Soprano	Rispettivamente una quinta giusta e una quinta diminuita discendenti.	Rispettivamente un bemolle e sei diesis.	Mezzo Soprano
Si♭ e Si	Tenore	Rispettivamente una quarta giusta e una quarta diminuita discendenti.	Rispettivamente un diesis e otto diesis.	Baritono
Do♭ e Do	Violino	Rispettivamente una terza maggiore e una terza minore discendenti.	Rispettivamente (la prima tonalità è omologa alla precedente) quattro bemolli e tre diesis.	Soprano
Re♭ e Re	Contralto	Rispettivamente una seconda maggiore e una seconda minore discendenti.	Rispettivamente due bemolli e cinque diesis.	Tenore
Mi	Basso	Un semitono cromatico ascendente.	Sette diesis.	Violino
Fa♭ e Fa	Mezzo Soprano	Rispettivamente un semitono diatonico e una seconda maggiore ascendenti.	Rispettivamente cinque bemolli e due diesis.	Contralto
Sol♭ e Sol	Baritono	Rispettivamente una terza minore e una terza maggiore ascendenti.	Rispettivamente tre bemolli e quattro diesis.	Basso

N.B. - *L'allievo dovrà sempre tener presente che i suoni reali della Tromba in Mi♭ corrispondono una terza minore superiore a quelli ch'egli è abituato a leggere in chiave di Violino.*

Reginaldo Caffarelli

100 STUDI MELODICI

per il trasporto nella tromba e congeneri

CORSO COMPLETO

IL TRASPORTO NELLE VARIE TONALITÀ
CON SOLI INTERVALLI DIATONICI

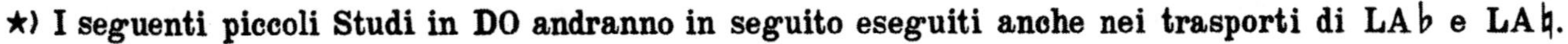
*) I seguenti piccoli Studi in DO andranno in seguito eseguiti anche nei trasporti di LA♭ e LA♮.

3

4

5

dim.

p
f

Lentamente
p
morendo
pp

6

Andante
p

sf
f

p

mf
p
pp

7

Moderato

p
cresc.

mf
f
p

f

*) Da studiarsi in seguito anche nei trasporti di DO e LA♮.

11 Calmo

12 Allegretto

13
Moderato
mf
p
f
p
cresc.
f
p

14
Alla Marcia
mf
p
3
f
p
mf
f

15
Allegretto
mf

p
f

*) Da studiarsi in seguito anche nei trasporti di MI♮, FA, RE♭, RE♮.

Maestoso
18
f
p
f
mf
rall.

Andantino
19
p
mf
rall.
a tempo
p
cresc.
rall.
p

Allegretto
20
p
mf
p
mf
p
f
1
p
f
sf

*) Da studiarsi in seguito anche nel trasporto di MI♮.

Moderatamente mosso
23
p
mf
p
f
mf
p
p
mf
p

Allegretto
24
p
mf
p
cresc.
f

p
f

dim.

p

f

Allegretto brillante
25
mf
f
mf espressivo
p
mf
f

Moderatamente
26
p staccato
f
p
mf
p
cresc.
f
f

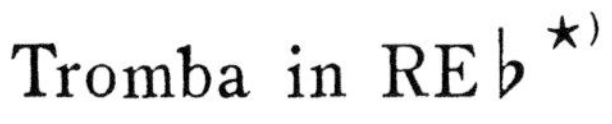
Tromba in RE♭ *)

Scala di RE♭ magg.
Notazione corrispondente nella Tromba in SI♭

Andante
27
p

mf

f
mf

f
rall.

Allegretto
28
mf
p

f
mf

p
f

p

mf
f

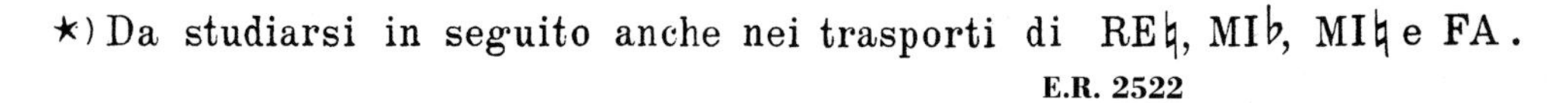
*) Da studiarsi in seguito anche nei trasporti di RE♮, MI♭, MI♮ e FA.

*) Da studiarsi anche nei trasporti di FA e SOL ♮.

Allegretto
31
p
mf
p

Moderato con eleganza
32
p
p
mf
p
cresc.
mf
p
f
f

Con brio
33
f
p
mf
f

Tromba in SI♭ *)

*) Da studiarsi anche nei trasporti di LA♮, SI♮, DO.

IL TRASPORTO NELLE VARIE TONALITÀ CON INTERVALLI DIATONICI E CROMATICI

*) Da studiarsi anche nei trasporti di RE♭, RE♮, MI♭.

E.R. 2522

Tromba in DO
Scala di LA minore
Notazione corrispondente nella Tromba in Si♭
38
Molto moderato
pp
rit.
a tempo
mf espress.
p
mf
f
p
f
dim.
rit.
a tempo
pp
rall.

Tromba in LA♭
Lentamente
39
p
mf
p
mf
f
p
f
Tromba in LA♭
Scala di FA minore
Notazione corrispondente nella Tromba in Si♭
Andantino
40
p dolce
p
mf
f

mf
rall.
pp
a tempo
p
ten.
ten.
rall.
mf
p

Tromba in MI♭
Allegro
41
6/8
p
f
p
f
p
mf
p
f
dim.
p
cresc.
f
p

f
p
cresc.

p
mf

p
p
f

Tromba in MI♭
Scala di DO minore
Notazione corrispondente nella Tromba in Si♭
Andantino affettuoso
42
p espress.
mf
p
f
p
sf
p
mf
sf
p
cresc.
pp con grazia
f
mf
p
pp
mf
f
Tromba in FA
Allegretto
43
p
f

rall.
a tempo
Tromba in FA
44
Moderato
ben marcato

Tromba in FA
Andantino
45
p lusingando
sf
sf
p
cresc.
f
p
mf
f
p
f
Tromba in FA
Scala di RE min.
Notazione corrispondente nella Tromba in SI♭
Allegro energico
46
f
tr
p
f

sf
p
mf
f
Tromba in RE♭
Allegretto mosso
47
p con eleganza
tr
mf
p
poco rit.
a tempo
tr♯
cresc.
cresc.

Tromba in RE♭
Assai moderato
48
f
5
p
mf
p
f
sf
p
mf
f
p
sf
sf
p
cresc.
sf
p
f
p
f
p
f
p
f
f
p
f
ff

Tromba in RE♭
Scala di SI♭ min.
Notazione corrispondente nella Tromba in SI♭
Andantino
49
p
mf
mf
dim.
rit.
a tempo
sf
p
cresc.
movendo
riprendendo il tempo
f
rit.
a tempo
p
rit.
Tromba in SOL♭
Calmo e ben ritmato
50
p
mf
f
p
p
f

Tromba in SOL♭ - SOL♮ - FA
Lentamente
51
p leggero staccato
sf
mf
sf
p
cresc.
f
sf
p
p
f
dim.
p
sf
sf
cresc.
sf
f
Tromba in SOL♭
Scala di MI♭ min.
Notazione corrispondente
nella Tromba in SI♭
Allegro moderato
52
p
tr
mf
p
sf
p
mf

Tromba in SI♭-LA♮-SI♮-DO

Tromba in SI♭
Allegro
54
p
f
p
cresc.
p
Tromba in SI♭-LA♭-LA♮-SI♮-DO
55
f
p
f
mf
p
f
p
f
p
f

ESERCIZIO IN ORDINE CROMATICO SU I TRASPORTI PRECEDENTI

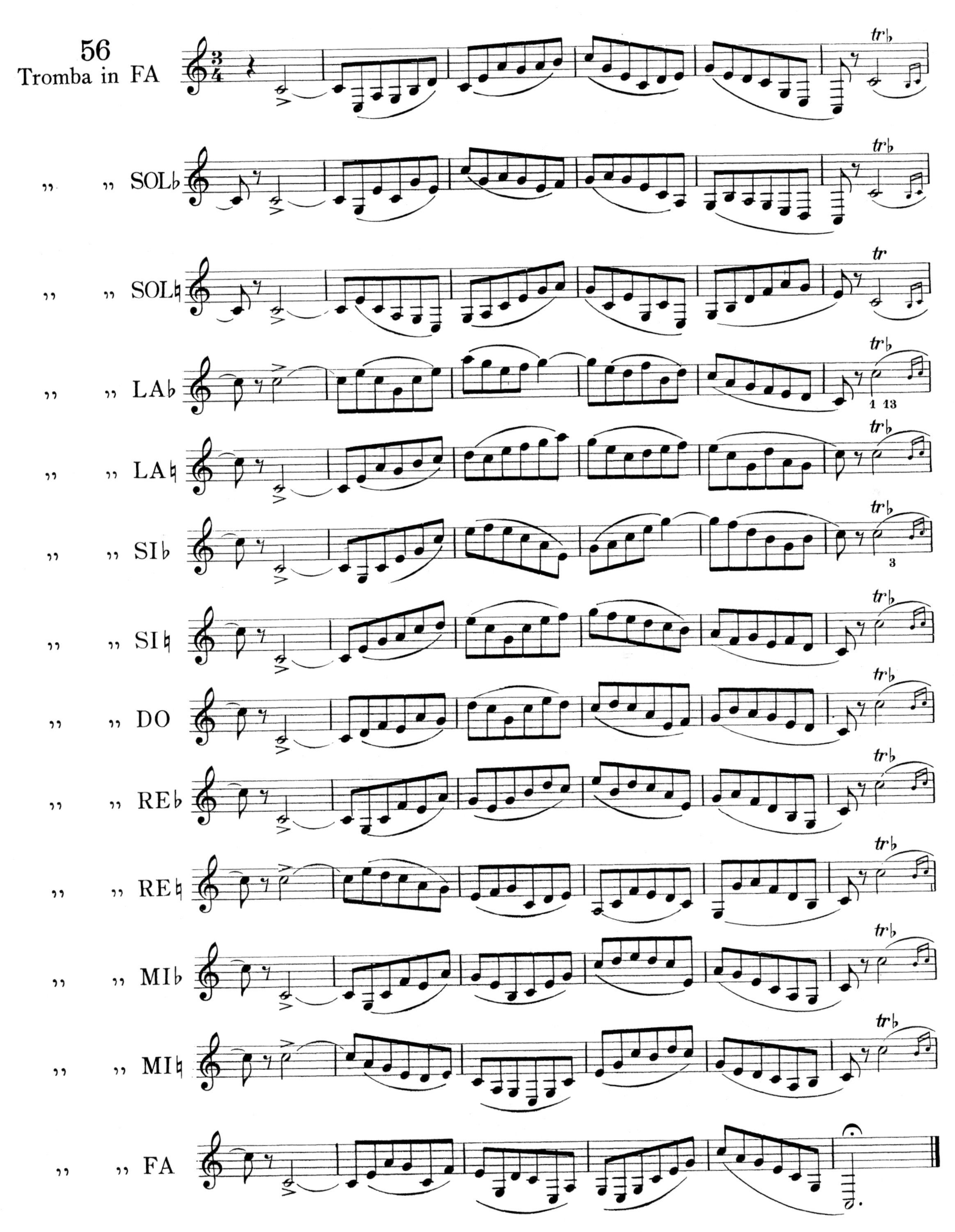

DEL TRASPORTO CON ALTERAZIONI IN CHIAVE

Tromba in RE♭
Andantino
E)
(Tonalità di SOL♭ magg.)
Tromba in SOL♭
Marziale
F)
(Tonalità di DO♭ magg.)
f
Tromba in SI♮
G)
(Tonalità di MI♮ magg.)
Tromba in SOL♮
Moderato
58 A)
(Tonalità di MI magg.)
p

Tromba in LA♮
Tempo di Minuetto
B)
(Tonalità di LA magg.)
mf
Tromba in DO
Andantino
C)
(Tonalità di RE magg.)
p
mf
Tromba in FA
Allegretto
D)
(Tonalità di SOL magg.)
mf
f
Tromba in SI♭
Mosso
E)
(Tonalità di DO magg.)
p stacc.
mf
f

Tromba in MI♭
Moderato
F)
(Tonalità di FA magg.)
mf
p
mf
Tromba in RE♭
Allegro
G)
(Tonalità di SI♭ magg.)
f
p
mf
cresc.
f
DO - RE♭ - RE♮ - MI♭
Andante
59
p
mf
p
cresc.
sf
sf

DO – RE♭ – RE♮

RE♮ – MI♭ – MI♮ – FA – SOL

RE♭ - RE♮ - MI♭ - MI♮ - FA
Andante mesto
62
p
mf
p
mf
pp
cresc.
rall.
a tempo
p
f
mf
rit.
p
pp
LA♭ - LA♮ - SI♭ - SI♮ - DO - RE♭
Mosso
63
mf
p

p
mf

sf
sf

p
mf

f

E.R. 2522

MI♭-FA-SOL♭
Allegretto
64
leggero
rit.
a tempo
RE♮-MI♭-MI♮-FA-SOL♭
Moderato
65

DO-RE♭-RE♮
Moderato assai
66
p
mf espress.
sf
p
mf
f
dim.
rit.
a tempo
p
mf
pp
MI♭-MI♮-FA-SOL♭
Allegretto mosso
67
p
p
poco più
mf
meno
rall.
I. Tempo
p
p

SI♮-DO-RE♭-RE♮

LA♭-DO♭-DO♮-RE♭

DO♭ - SI♭ - LA♭
Andantino
70
p
mf
p
cresc.
f
dim.
p
cresc.
rit.
f
6
7
f

MI♭ - MI♮ - FA - SOL♭ - SOL♮
Allegro
71
p staccato
mf
f
p
p

f

MI♭, MI♮, FA, SOL♭, SOL♮
Largo, in 4 movimenti
72
p
f
p
p
mf
p
p
LA♮, SI♭, SI♮, DO, RE♭, RE♮
Andante
73
p
f
p
p
mf
cresc.
rit.
a tempo
p
tr
rall.

LA♭, LA♮, SI♭, SI♮, DO, RE♭
Andantino
74
p
mf
pp
p
mf
tr
tr
rit.
a tempo
p
p
rit.
a tempo
p
pp
RE♭, RE♮, MI♭, MI♮, FA, SOL♮
Allegro
75
p leggero
mf
p
dim.
p
rit.
a tempo
p
mf
p
p

LA♭, LA♮, SI♭, SI♮, DO
Moderato
76

Tromba in LA♭ LA♮ SI♭
Allegro
77
f
mf
p
f
p
p
p
mf
p
pp
cresc.
f
tr
sf

Tromba in SI♭-LA♭-LA♮-SI♮-DO
Scala di SOL min.
LA♭-LA♮-DO
Allegro moderato
78
f
p
cresc.
tr
3
sf

Tromba in LA♮-LA♭-SI♭
Scala di LA♮ magg.
Notazione corrispondente nella Tromba in SI♭
Allegro
79
p
f
Tromba in LA♮
Scala di FA♯ min.
Notazione corrispondente nella Tromba in SI♭
Andantino
80
mf
p
cresc.
pp

Tromba in RE♮
Scala di RE magg.
Notazione corrispondente nella Tromba in Si♭
Adagio (in 4 movimenti)
81
p
3
mf
cresc.
p
cresc. a poco a poco
f
Tromba in RE♮
Scala di SI♮ minore
Notazione corrispondente nella Tromba in Si♭
Mosso
82
p leggero
mf
p
mf
p
f

Tromba in MI♮ - Mi♭-Fa-Sol♭
Scala di MI♮ magg.
Notazione corrispondente nella Tromba in Si♭
Moderatamente
83
mf staccato
p
mf
f
rall.
Tromba in MI♮
Scala di DO♯ minore
Notazione corrispondente nella Tromba in Si♭
Fa-Mi♭-Re♮-Re♭
Andantino mesto
84
p
mf
tr
sf
pp perdendosi

Tromba in SOL♮ - Sol♭ - Fa - Mi♮ - Mi♭
Scala di SOL magg.
Notazione corrispondente nella Tromba in Si♭
Moderato
85
mf
p
f
Tromba in SOL♮
Scala di MI♮ minore
Notazione corrispondente nella Tromba in Si♭
Con moto
86

Tromba in SI ♮ SI ♭ - LA ♮ - LA ♭
Scala di SI ♮ magg.
Notazione corrispondente nella Tromba in SI ♭
Maestoso
87
tr
f
p
pp
cresc.
mf
3
Tromba in SI ♮
Scala di SOL ♯ min.
Notazione corrispondente nella Tromba in SI ♭
Lentamente
88
rit.
a tempo
sf

DEGLI ARPEGGI ATTRAVERSO TUTTE LE TONALITÀ

SOL ♭
SI ♮
MI ♮
LA ♮
RE ♮
SOL ♮
DO

STUDI SUL CAMBIAMENTO IMMEDIATO DEL TRASPORTO*)

*) I seguenti Studi vanno esercitati anche un semitono diatonico sopra e un semitono diatonico sotto.

LA♮
91
Allegretto brillante
mf stacc.
f
SI♮
p
mf
MI♮
rit.
meno
dim.
p
SOL♮
mf
p
f
rit.
p
a tempo
dim.
rall.
RE♮
I Tempo
mf
pp
cresc.
f
ff

FA
Maestoso
92
RE♮
DO
MI♭
SI♮
LA♭
SI♭
rit.
FA
Andante
DO
SI♭
MI♭
LA♭

FA
tr
p
mf
espress.
f
dim.
p
FA
93
Mosso
f squillante
DO
ff
p
ff
p
cresc.
p
f
REb
p
LAb
f
p
SOLb
f
p
SIb
cresc.
f
FA
sf

DO
Vivace
94
mf
FA
p
sf
DO
pp
p
cresc
LA♭
sf
p
cresc. a poco a poco
DO
f
f
ff

FA
Allegro maestoso
95
f
p
sf
REb
DO
leggero
mf
dim
espress.
brillante
ff

DO
Moderato
96
f
p
SOL♮
mf
poco rit
MI♮
a tempo
pp
cresc.
poco rit.
LA♮
mf espress.
RE♭
p
espress.
p
cresc.
SOL♭
mf
LA♮

DO
cresc.

f
ff

SOL♮
Allegro deciso
97
f
DO
p
MI♮
cresc.
f
ff
pp
Lento
mf recitativo
sf
rit.
RE♮ I. Tempo
mf
SOL♭
RE♮
f

FA
Moderatamente
98
mf

rall.
sf
p dim.
MI♭
p

mf
dim.

RE♮

FA
LA♮
f

DO
sf
mf

f
p

cresc.
f

DO
99
Moderato
mf
p
FA
p
SOL♮
p
f
mf
p
mf
MI♭
p
mf
f
mf
f
p
DO
mf
f
p
f

SI♭
Allegro moderato
100
MI♭
cresc.
RE♭
FA
cresc.
LA♭
espress.
DO
SI♭

Strumenti a fiato - Metodi, Studi, Repertorio

Tromba, Cornetta

Caffarelli

100 Studi melodici per il trasporto della trb. e congeneri. Corso completo (ER 2522)

Cardoni

Introduzione allo studio della cornetta (129327)

Ceccarelli

18 Studi seriali per trb. in si bem. (ER 2737)

Gatti

Gran metodo teorico pratico progressivo per cornetta a cilindri e congeneri. *(Giampieri)*
- Parte I (ER 2393)
- Parte II (ER 2394)
- Parte III (ER 2395)

10 Studi di perfezionamento per cornetta sola (ER 2480)

Peretti

Nuova scuola d'insegnamento della trb. in si bem. (cornetta) e congeneri.
- Parte I (ER 644)
- Parte II (ER 645)

Soana-Mariani

La tromba jazz. Metoodo progressivo per sviluppare il linguaggio jazzistico e la tecnica appropriata (MLR 572)

Soglia

La tromba. Tecnica fondamentale per il primo triennio (MLR 623)

Verzari

Esercizi giornalieri *Testo in ing, ita* (ER 2881)

Esercizi sull'emissione dei suoni fondamentali e armonici della tromba *Intr. in ing, ita* (ER 2916)

16 Studi caratteristici (ER 2855)

Studi di tecnica per lo sviluppo degli armonici della trb. *Testo in ing, ita* (ER 2849)

Corno

Ceccarelli

Scuola d'insegnamento del corno a macchina e del corno a mano. Vol. I *Testo in ita, spa* (ER 1037)

Fontana

Passi difficili e "a solo" per corno (ER 663)

Giuliani

Esercizi giornalieri per corno. Armonici, tecnica dello staccato e legato e coloristica della musica d'oggi *Testo in ing, ita, ted* (ER 2860)

Mariani

Metodo popolare par corno a cilindri (in chiave di violino) *(Grigolato)* (129379)

Rossari

Esercizi per il corso inferiore di corno *(Giuliani)* (ER 2882)

Esercizi per il corso superiore di corno*(Giuliani)* (ER 2883)

Zanella

5 Studi per corno in fa *Testo in ing, ita, ted* (reprint) *(Lonoce)* (ER 1908)

Saxofono

Bianchi

Il sax moderno. Dall'impostazione all'improvvisazione (con CD) (MLR 554)

Cuneo

Metodo completo per saxofono contralto in mi bem. op. 207 (ER 1746)

Scale e 24 studi in tutti i toni per saxofono in mi bem. op.197 (ER 1525)

Giampieri

Metodo progressivo per saxofono (ER 2011)

16 Studi giornalieri di perfezionamento per saxofono (ER 2051)

Lessmann

Il fraseggio nel jazz
– Vol. I: 16 esercizi progressivi (MLR 575)
– Vol. II: 16 esercizi in 3/4 e 6/4 (MLR 576)

Orsi

Metodo popolare per saxofono (sopranino, soprano, contralto, tenore, baritono, basso) *(Giampieri)* (ER 2908)

Salviani

Studi per saxofono (tratti dal metodo per oboe). *(Giampieri)*
- Vol. I (ER 2297)
- Vol. II (ER 2298)
- Vol. III (ER 2299)
- Vol. IV (ER 2300)

Trombone

Gatti

Gran metodo teorico pratico progressivo (in chiave di basso) per trbn. tenore a cilindri e congeneri. (tratto dal metodo per cornetta) *(Giampieri)*
- Parte I (ER 2419)
- Parte II (ER 2420)

La Vista

13 Studi melodici per trbn. tenore a coulisse (ER 2889)

Mazzoni

Studi giornalieri di perfezionamento per trbn. a tiro e congeneri (Con cenni riassuntivi sulla respirazione) *Testo in ing, ita* (ER 2888)

Peretti

Metodo per trbn. a tiro (ER 914)

Nuova scuola d'insegnamento del trbn. tenore a macchina e congeneri.
- Parte I (ER 751)
- Parte II (ER 752)

Pugliese

Metodo elementare per trbn. a tiro. Parte II *Testo in ing, spa* (BA 12446)